LAS AVENTURAS DE
TOM SAWYER

COLECCIÓN PEQUECLÁSICOS

SERVILIBRO

Corrección: Sara Moreno / Equipo Servilibro
Ilustración de interiores: Juan López Ramón
Maquetación: José Luis Escribano / Equipo Servilibro
Tratamiento de imágenes: José de Haro / Equipo Servilibro
Ilustración de cubierta: Carmen Guerra

© SERVILIBRO EDICIONES, S. A.
C/ Campezo, 13 - 28022 Madrid
Tel.: 913 009 102 - Fax: 913 009 118
general.servilibro@susaeta.com

CAPÍTULO I

Tom Sawyer vivía con su tía Polly en un pueblecito americano del sur, llamado San Petersburgo.

—¡Tooom...! ¡Tooom...! —llamaba tía Polly—. ¿Dónde se habrá metido este muchacho?

Oyó a sus espaldas un ruido y se volvió en el momento justo en que un muchacho salía corriendo con intención de escapar. Era Tom.

—¡Qué tonta he sido! Debí suponer que estarías en la despensa. Dime, ¿qué estabas haciendo allí?

—¿En la despensa? Nada.

—¡De modo que nada! ¿Y esas manos? ¿Y esa boca? ¿Qué son esas manchas?

—¿Cuántas veces te habré dicho que si no dejabas en paz la mermelada te daría una paliza?

—No sé.

—Dame aquella vara.

—¡Tía, tía! ¡Mire a su espalda!

Ella se giró rápidamente y Tom aprovechó aquel descuido para huir.

Tía Polly se quedó sorprendida.

—¡Este chico! Está visto que no aprenderé nunca. ¡Pero si cada día se le

ocurre algo nuevo! ¿Cómo va una a adivinarlo? Esta tarde hará novillos y, claro, no me quedará más remedio que hacerle trabajar mañana, como castigo. Me resulta penoso obligarle a trabajar los sábados. Pero es preciso hacerle entender que es necesario ser activo y trabajador. Si no lo hago, me remorderá la conciencia. Y si lo hago..., ¡qué dilema. Dios mío!

Tía Polly se consideraba en posesión de un talento especial para la diplomacia, trataba de desentrañar la verdad a través de preguntas maliciosas. Y aquella tarde...

—¿Hacía calor en la escuela, Tom?

—Sí, tía. Mucho calor.

—Mucho calor, ¿eh?

—Sí, sí. Un calor sofocante.

—¿Y no tenías ganas de darte un buen baño?

Entonces intervino Sidney, el primo de Tom, para complicar la situación.

—Yo diría que no sólo tuvo ganas, sino que tomó el baño.

—Sí, eso creo yo —dijo tía Polly.

—Pues, claro. ¿No ve el cuello de su camisa? Está mojado.

Tom no se entretuvo más. Escapó de un salto hacia la puerta.

* * *

Tom, que había estado peleándose con un forastero, regresó muy tarde a casa. Cuando entró por la ventana, se encontró de improviso en presencia de su tía. Ésta, al ver el lamentable estado de sus ropas, convirtió la fiesta del sábado en cautiverio para el muchacho, obligándole a pintar una gran valla.

El sábado, Tom apareció en la calle

CUANDO TOM VOLVIÓ A CASA, SU TÍA LE PREGUNTÓ:
¿HACÍA MUCHO CALOR EN LA ESCUELA, TOM?
¡OH, SÍ ¡MUCHO!
¿Y NO SENTISTE DESEOS DE IR AL RÍO A DARTE UN BAÑO?
YO DIRÍA QUE LO TOMÓ, PUES TIENE EL CUELLO DE LA CAMISA MOJADO

con un cubo de cal diluida en agua y una brocha de mango largo. Al examinar la valla —de treinta metros de longitud por dos metros y medio de altura—, la alegría que reflejaba su rostro se esfumó como por encanto. La vida le parecía ahora una pesada carga. Suspiró y, tras mojar la brocha en el cubo de yeso, la pasó a lo largo de la tabla superior, una y otra vez, con desgana.

Al poco rato apareció Jim, el negrito, que iba a por agua con un gran cubo. A Tom siempre le había parecido terrible la tarea de sacar agua del pozo, pero ahora no lo veía así. Por el contrario, le parecía muy divertido... Se le ocurrió una idea y la puso en práctica sin demora:

—Oye, Jim. Yo iré a por el agua si tú blanqueas un poco la valla.

Pero Jim no parecía fácil de convencer.

—Mira, si me dejas que vaya, te daré una bola blanca.

—¿Una bola blanca? —exclamó Jim, abriendo mucho los ojos.

—Sí, una bola blanca; de ésas con las que siempre se gana.

—Es verdad, Tom. Con ellas siempre se gana. Pero tengo miedo, mucho miedo de que la vieja señora...

—¡Ah! Y además de darte la bola blanca, te mostraré el dedo herido de mi pie.

Pero tía Polly, que se encontraba al acecho, descubrió la treta. Poco después aparecía Ben Rogers. Tom había temido siempre las burlas de aquel muchacho.

Tom se volvió de repente, como si no le hubiera visto hasta entonces, diciendo:

—¡Ah! Eres tú...

—Sí, soy yo, me voy a nadar. ¿Quieres venir? ¡Ah, claro! No puedes. Prefieres seguir trabajando... Es natural.

—¿Trabajar? ¿A esto le llamas trabajar?

—¿No lo es acaso? —replicó Ben. Tom siguió con su tarea sonriendo.

—¡Déjame probarlo! Aunque sólo sea un minuto. Si yo estuviera en tu lugar y tú me lo pidieras te dejaría, Tom —le suplicó Ben.

—Yo no tengo inconveniente, pero tía Polly... Ella es otra cosa... Hace un rato Jim quiso hacerlo; pues bien, mi tía no se lo permitió.

—¿Qué puede ocurrir? Te aseguro que pondré el mismo cuidado que tú. Déjame probar. Si me dejas, te daré media manzana —ofreció Ben.

—No, no, Ben. Tengo miedo, mucho miedo.

—Te la daré toda.

MÁS TARDE, APARECIÓ POR ALLÍ BEN ROGERS QUE IBA A NADAR. TOM ADOPTÓ LA ACTITUD DE ESTAR DISFRUTANDO CON LO QUE HACÍA
¿TIENES TRABAJO HOY, EH?
¿TRABAJO? ¿A ESTO LO LLAMAS TÚ TRABAJAR?
¿ME DEJAS PINTAR UN POCO?
POR MÍ TE DEJARÍA, PERO SI TE VE TÍA POLLY...

Con la desgana reflejada en el rostro, pero con la mayor alegría en el corazón, Tom entregó la brocha al muchacho. Y mientras Ben trabajaba como un desesperado, Tom, sentado tranquilamente sobre un barril, se comía la manzana.

La treta le salió bien y no sólo en aquella ocasión, sino en otras sucesivas. Nuevos muchachos llegaban de vez en cuando para burlarse, pero él no tardaba mucho tiempo en convencerlos de que se quedaran a blanquear la valla.

Cuando Ben estuvo rendido, vendió el turno siguiente a Billy Fisher, a cambio de una cometa en buen estado.

El asombro de tía Polly fue enorme cuando vio toda la valla blanqueada y bien recubierta de varias capas.

—¡Qué veo, Tom! Nunca lo hubiera creído. ¿Te das cuenta? Cuando te lo propones, sabes trabajar.

Tan agradable impresión le produjo la proeza del muchacho, que se lo llevó a la despensa, eligió la manzana más hermosa que encontró y se la ofreció. Pero antes pronunció un verdadero discurso acerca del valor —y el sabor— que adquiere todo aquello que se conquista noblemente, gracias a un abnegado esfuerzo. El chico aprovechó la «conferencia» para apoderarse de una torta de nueces.

—¡Cuánta razón tiene mi queridísima tía Polly!

* * *

Tom salió a dar una vuelta. Al pasar por delante de la residencia de Jeff Thatcher, vio a una muchacha desconocida en el jardín que llamó su atención. Era una deliciosa criatura, de ojos azules y pelo rubio, peinado en largas trenzas. Se llamaba Becky.

En aquellos instantes, Amy Lawrence, el otro «amor» de Tom, se esfumó como por encanto de su corazón. Ni siquiera quedó de ella un leve recuerdo. Ahora se daba cuenta de que sólo se trataba de un afecto circunstancial, sin hondas raíces. Había empleado muchos meses en conquistarla y finalmente había conseguido una victoria. Pero todo se borraba ante aquella muchacha sencilla, ante aquel ángel de mirada furtiva. Tom se propuso ser su amigo.

Eran cerca de las nueve y media cuando volvió a pasar por la desierta calle donde vivía la adorable desconocida de los cabellos de oro. Se detuvo un momento a escuchar. Ni el más leve rumor. Una lámpara proyectaba un fulgor opaco en una ventana del segundo piso.

TÍA POLLY SE ENTUSIASMÓ CUANDO VIÓ LA VALLA PINTADA Y LEVANTÓ EL CASTIGO A TOM. ÉSTE APROVECHÓ LA ACTITUD CARIÑOSA DE LA MUJER PARA APODERARSE DE UNA TORTA DE NUECES ANTES DE IRSE

¿QUIÉN SERÁ ESA CHICA QUE HAY EN EL JARDÍN DE JEFF THATCHER? ¡QUÉ GUAPA ES!

Saltó la valla para deslizarse furtivamente entre las plantas y situarse bajo la ventana. Contemplándola, emocionado, se echó en el suelo, boca arriba, con las manos sobre el pecho, sosteniendo entre ellas una flor marchita.

Así, en esta posición, hubiese querido morir. Sin abrigo que cubriera su desvalido cuerpo; sin una mano amiga que secara el sudor de su frente; sin un rostro piadoso que se inclinase sobre él en su agonía... A la mañana siguiente así le encontraría ella y derramaría una lágrima sobre su cuerpo inerte.

AL VER A BECKY, QUE ASÍ SE LLAMABA LA HERMOSA MUCHACHA, TOM SINTIÓ UN VIVO DESEO DE HACERSE AMIGO DE ELLA

POR LA NOCHE VOLVIÓ Y SE PUSO A ESPIAR A LA NIÑA POR LA VENTANA

CAPÍTULO II

El lunes, a la hora de levantarse, Tom dijo que se encontraba mal. No quería ir a la escuela. Más tarde aseguró que ya estaba mejor y quería salir a la calle.

—¡Ah, ya voy comprendiendo, pillín! ¿Conque ya no quieres quedarte en casa? —exclamó tía Polly—. Has urdido esta comedia para poder irte de pesca tranquilamente...

Entonces Tom se quejó de que se le movía un diente. Eso sí que iba en serio. Tía Polly no se amilanó, ató un hilo de seda en el diente vacilante de Tom y, sin que el niño pudiera hacer nada, la mujer dio un fuerte tirón y arrancó el diente.

Poco después, sin acordarse ya de su diente, Tom se cruzó con Huckleberry Finn, hijo del borracho de la ciudad. Un muchacho al cual temían las madres porque era un vagabundo, travieso, sin educación y vivía al margen de la ley. Sin embargo, los chicos le admiraban y algunos hubieran querido ser como él.

Tom compartía con él sus juegos de buena gana.

—¡Hola, Huckleberry! —saludó a aquel muchacho que no iba a la escuela ni a la iglesia.

—¡Hola, chico! Dime, ¿qué te parece esto?

—¿Qué es?

—Es un gato muerto.

EL LUNES, A LA HORA DE LEVANTARSE, DIJO A SU TÍA QUE SE ENCONTRABA MAL
DEBE DE SER A CAUSA DE ESTE DIENTE QUE SE TE MUEVE... ¡TE LO ARRANCARÉ!
¡NO! ¡NO ES NECESARIO! ¡AAAAH!
POCO DESPUÉS, CON UN DIENTE MENOS, TOM SALÍA A LA CALLE

—¿Un gato muerto? Déjame verlo... ¡Caramba! ¡Qué tieso está...! Oye, Huck, ¿para qué sirven los gatos muertos?

—Curan las verrugas —respondió.

—Dime, ¿cómo las curan?

—Es muy fácil. Coges el gato, te vas al cementerio hacia las doce de la noche y dices la palabra «¡Miau!».

—¿Lo has probado alguna vez, Huck?

—Yo no, pero me lo ha dicho la abuela Hopkins.

—Entonces será verdad, pues dicen que es una bruja.

—Embrujó a papá, él lo dice. Un día él estaba paseando, se dio cuenta de que le estaba embrujando, cogió una piedra y si ella no llega a apartarse, le da de lleno. Pues bien, aquella misma noche, al caer de un cobertizo, mi padre se rompió el brazo.

CAPÍTULO VIII

Sin embargo, un gran acontecimiento iba a romper la monotonía: la vista pública de la causa contra Muff Potter, acusado de asesinar al doctor.

Tom, atormentado por su conciencia, llevó a Huck a un lugar apartado.

—Oye, ¿no has dicho nada a nadie... de aquello que viste?

—¿A qué te refieres?

—¿Acaso no te acuerdas? Al asesinato del doctor...

FUE UN TOSTÓN, PERO LE OTORGARON EL PRIMER PREMIO Y EL ALCALDE LA CALIFICÓ COMO "LA MÁS BELLA COMPOSICIÓN QUE HABÍA OÍDO EN SU VIDA"

lir a la calle, todo —cosas y personas—
parecían haber experimentado un cambio.

A su bajo estado de ánimo se sumaba
la inquietud. El terrible secreto de lo
que había presenciado en el cementerio
no se le iba de la cabeza, no le dejaba
en paz.

—¡Bonitas vacaciones estoy pasando!
—se lamentaba el muchacho.

LLEGÓ EL FIN DE CURSO Y HUBO UNA FIESTA EN LA QUE ALGUNOS ALUMNOS LEYERON POESÍAS

UNA MELANCÓLICA MUCHACHA LEYÓ UNA LAR-GUÍSIMA POESÍA QUE OCUPABA DIEZ FOLIOS

tan monótonas y pesadas. Lo cierto era que se aburría soberanamente.

¿Qué podía hacer para acabar con aquella monotonía?

El muchacho trató de escribir un diario. Pero, ¿para qué le servía, si no le sucedía nada extraordinario? Dejó pasar tres días y en vista de que no se produjo ningún hecho digno de figurar en aquel cuaderno, decidió abandonarlo.

Tom echaba mucho de menos a Becky, que se hallaba en su casa de Constantinopla, pasando las vacaciones en compañía de sus padres. Sólo le faltaba aquello para que se desesperara aún más en el pueblo.

Y por si esto fuera poco, cogió el sarampión. Durante dos semanas, que le parecieron interminables, Tom tuvo que permanecer en la cama.

Cuando por fin se levantó y pudo sa-

Los muchachos gozaban por adelantado viendo desplegarse ante ellos el maravilloso panorama de las vacaciones. Todos estaban pletóricos de alegría, ilusiones y proyectos.

También los familiares de los niños estaban contentos, aquel día sus hijos no parecían los mismos. Incluso Tom no parecía tan travieso como de costumbre, aquél era un momento especial, y eso que había suspendido.

Poco después, la escuela se quedaba silenciosa y vacía, a la espera de que un nuevo curso volviera a llenarla con la alegre presencia de los niños.

* * *

Después de haber suspirado tanto tiempo por las vacaciones, Tom no podía entender que le estuvieran resultando

TOM RECIBIÓ SIN RECHISTAR, LA MÁS INHUMANA AZOTAINA QUE EL SEÑOR DOBBINS PROPINARA EN SU VIDA

SE VIO RECOMPENSADO CUANDO A LA SALIDA, VIO A BECKY QUE LE ESPERABA, EMOCIONADA Y AGRADECIDA

muchacha del Missouri. Empezaba así:

«¡Ay, Alabama, adiós! ¡Dulce tierra que yo debo abandonar!

Tus recuerdos abrasan mi frente... y llora el corazón, ¡ay!, de pesar y mis lágrimas fluyen como un mar...».

Aquella pesadilla —el lector habrá podido comprender que de eso se trataba— ocupaba diez páginas manuscritas. A pesar de todo, fue considerada como el mejor número de la memorable velada.

Levantose a continuación el alcalde de la localidad para entregar el premio a la autora. Pronunció un discurso en el que, entre muchísimas otras cosas, manifestaba que aquella composición era la más bella que había oído en su vida.

Cuando la fiesta hubo finalizado, por fin, todos los niños se despidieron educadamente del maestro.

bueno conmigo, sabiendo que yo no lo merezco, Tom?

El fin de curso había llegado por fin con su fiesta correspondiente. Los alumnos recitaban poesías ante un gran auditorio compuesto por sus familiares.

Durante las actuaciones no dejaban de oírse palabras elogiosas: «¡Qué hermoso!». «¡Qué elocuente!». «¡Qué bello!». «¡Qué emocionante!»...

Y las actuaciones se premiaban siempre con aplausos entusiastas, desde todos los rincones, convirtiéndose a veces en una verdadera ovación.

Tras disfrutar con aquellas composiciones tan emotivas, los asistentes pudieron deleitarse con una poesía recitada por su autora, una muchacha pálida y melancólica, cuyo color encajaba perfectamente con el tema. El título del poema era *El adiós a Alabama de una*

CAPÍTULO VII

Aquella noche Tom se acostó dispuesto a planear su venganza contra su compañero Alfred que, celoso de que Becky le quisiera a él, le había manchado de tinta el libro. Pero pronto se distrajo con otros pensamientos más dulces y agradables. Se durmió plácidamente, evocando las últimas palabras que había pronunciado Becky en su oído y que aún resonaban en su cabeza:

—¿Cómo has podido ser tan noble y

TOM RECIBIÓ UNA GRAN REPRIMENDA CUANDO EL PROFESOR VIO SU LIBRO MANCHADO DE TINTA. BECKY NO SE ATREVÍA A DELATAR A ALFRED, PUES ELLA MISMA SIN QUERER, HABÍA RASGADO UNA PÁGINA DEL LIBRO DEL MAESTRO

ante su pupitre, impávido. Cuando avanzó hacia el profesor, dispuesto a recibir su castigo —el segundo de la jornada— vio que Becky lloraba emocionada. Aquélla era la mejor recompensa de la azotaina, de una y de cien azotainas.

La sufrió estoicamente, sin rechistar. Era la más inhumana de las que le había propinado el señor Dobbins en su vida. Y de propina le proporcionó dos horas de castigo en el aula, solo.

Pero, ¡qué importaba eso ahora! Sabía que a la salida alguien le esperaría emocionada, manifestando a través de sus ojos y de sus labios la inmensa gratitud que le inspiraba.

Como así fue...

HABÍA PASADO LA EUFORIA POR LA "RESURREC-CIÓN" DE TOM Y TÍA POLLY LE RECRIMINABA SU ESCAPADA
VINE POR LA NOCHE A DECIRLE QUE NO SE INQUIETARA POR MÍ, PERO CUANDO LA VÍ DORMIDA, LA BESÉ Y ME FUI
¿ES CIERTO ESO?

—Joe Harper, ¿ha roto usted este libro?

Segunda negativa. El maestro examinó las hileras de muchachos, caviló por unos momentos y se dirigió seguidamente a las muchachas.

—Amy Lawrence, ¿ha rasgado usted este libro?

Respuesta negativa.

—Rebeca Thatcher, ¿ha roto usted este libro?

Tom la miró. Estaba pálida, aterrorizada. Sus manitas se levantaban en actitud de súplica.

De pronto, una idea atravesó el cerebro de Tom. Se puso en pie de un salto y gritó valientemente, exponiéndose como nunca:

—¡He sido yo, señor Dobbins!

¿Estaba loco? Todos lo consideraron así y le miraron perplejos. Pero Tom siguió firme, sin pestañear, de pie

para delatar al verdadero culpable, Alfred, pero la preocupaba más otro asunto. Un poco antes de que el profesor entrara en la clase, había roto sin querer una de las páginas del libro del maestro. Por eso, en aquellos momentos, la muchacha sólo podía pensar en lo que se le vendría encima cuando éste se diera cuenta.

Tom acababa de recibir la reprimenda, el señor Dobbins sacó su libro y...

—¿Quién ha rasgado este libro? —gritó furioso.

Silencio sepulcral. Se hubiera podido oír la caída de un alfiler, el vuelo de una mosca... Continuó la quietud. El maestro decidió interrogarlos uno por uno. Y empezó la letanía de nombres:

—Benjamín Rogers, ¿ha roto usted este libro?

—No, señor.

Otra pausa.

BECKY TENÍA MUCHO TRATO CON ALFRED TEMPLE Y TOM SE SENTÍA CELOSO. LO MISMO LE PASABA A LA NIÑA CUANDO TOM ESTABA CON AMY

fred encontró el libro de lectura de Tom Sawyer. Lo cogió satisfecho y buscó la página de la lección correspondiente a aquella tarde. Sonriendo maliciosamente, la llenó de tinta.

—Así aprenderá —dijo Alfred—. Tom tiene toda la culpa de que Becky no me haga caso.

Pero Becky, que pasaba junto a la ventana en aquel momento, lo vio todo. Sin delatar su presencia se retiró, proponiéndose encontrar a Tom y contárselo. El muchacho se lo agradecería y sin duda alguna la perdonaría.

* * *

Tom recibió una gran reprimenda cuando el profesor descubrió el libro del niño completamente manchado.

Becky estuvo a punto de levantarse

fuera poco, recibió una dura reprimenda de tía Polly. Tom pensó que se habían terminado las amabilidades provocadas por su «resurrección».

—Sé que obré muy mal, pero no tenía esa intención, tía. Además, una noche vine a verla y no era para burlarme de usted. Vine a decirle que no se inquietara por nosotros porque estábamos sanos y salvos, pero no me atreví —manifestó.

—No mientas, Tom.

—No miento, tía. Es la verdad. Yo no quería que usted se afligiera. Por eso vine hasta aquí y la besé.

—No sabes lo que yo daría por creerte. ¿Me besaste, Tom, o lo soñé?

—No lo soñó. La besé, tía, se lo prometo.

Pero tía Polly ya no sabía qué creer. Al día siguiente, antes de la clase, Allo que hacía Tom. Ambos sufrían y procuraban hacer sufrir al otro.

La charla con Amy se le hacía insoportable a Tom. Se inventó un montón de obligaciones para abandonarla, pero la muchacha le retenía sin dejarle marchar. Hasta que no pudo contener más su impaciencia y la dejó plantada.

Becky, harta igualmente de aguantar al pesado de Alfred, le despidió con malos modos:

—No me molestes más, Alfred. ¡Ya no me interesan nada tus explicaciones!

Y levantándose bruscamente de su asiento se echó a llorar y se fue corriendo.

* * *

Cuando Tom Sawyer llegó a su casa estaba de muy mal humor. Por si esto

UN LEVE RUMOR QUE SE FUE HACIENDO CADA VEZ MAYOR SE PRODUJO EN LA IGLESIA. JOE, HUCK Y TOM AVANZABAN POR EL PASILLO... ¡LOS MUCHACHOS HABÍAN VUELTO Y ASISTÍAN A SU PROPIO FUNERAL!

TÍA POLLY, LA PRIMA MARY Y LOS HARPER SE ARROJARON FELICES SOBRE LOS MUCHACHOS, AHOGÁNDOLOS A BESOS

Austin alborozada—. ¡Estupendo, chica! ¿Y quién la organiza?

—Yo —contestó Becky.

—¿Y cuándo se hará?

—¡Oh, muy pronto! Durante las vacaciones, probablemente.

—Dime, ¿nos invitarás a todos?

—A los que sean amigos míos... y a los que quieran serlo.

Y al decir estas palabras, observó de reojo a Tom. Pero éste la ignoró porque se sentía humillado, herido en su amor propio. Becky había estado dándole celos con Alfred Temple. Los había visto, con las cabezas muy juntas, contemplando un libro de imágenes.

Entre los dos se estableció una lucha sorda, implacable. Tom no se separaba de Amy, pero sin perder de vista a Becky. Ésta, mientras tanto, seguía hablando con Alfred, pero pendiente siempre de

EL CLÉRIGO CONMOVIÓ A LA MULTITUD CON UN ENCENDIDO ELOGIO DE LOS MUCHACHOS MUERTOS, A LOS QUE AHORA PRESENTABA COMO MODÉLICOS

CAPÍTULO VI

Pasaron los días y las vidas de los muchachos se fueron normalizando. En la escuela, Tom era un auténtico héroe. Sin embargo había algo que empañaba su felicidad: Becky y él seguían enfadados.

La chica tuvo una idea para intentar la reconciliación. Entre clase y clase se acercó al grupo en que se hallaba Tom:

—¿Qué hay de la merienda que tenemos proyectada? —preguntó despreocupadamente.

—¿Una merienda? —exclamó Mary

bía ensalzado, poniéndolos por las nubes. Su aparición en el funeral había sido la última genialidad de Tom.

Tía Polly, Mary y los Harper se arrojaron sobre los muchachos, ahogándolos con sus besos. Al único al que nadie hacía caso era al pobre Huck que se sentía confuso, incómodo, sin saber qué hacer ni a quién dirigirse. Sintiéndose solo, empezó a retirarse calladamente. Pero Tom se dio cuenta y le sujetó abrazándole.

AUNQUE DURÓ POCO, LA TORMENTA FUE MUY VIOLENTA. CUANDO VOLVIERON AL CAMPAMENTO, VIERON QUE LA HIGUERA QUE LO PROTEGÍA HABÍA SIDO FULMINADA POR EL RAYO. HABÍAN TENIDO LA SUERTE DE NO ESTAR ALLÍ.

Ahora, los tres aparecían como buenos, civilizados, estudiosos y aplicados. Cada episodio de su vida era evocado como modelo.

La descripción, que a todos les parecía patética, los conmovió profundamente. Terminada la ceremonia y puestos en pie, la multitud se unió al llanto de los familiares. Tampoco el clérigo pudo contener las lágrimas.

En aquel momento chirrió la puerta de la iglesia. El ministro levantó los ojos y quedó paralizado. Las miradas de los fieles se dirigieron hacia aquello que enmudecía al reverendo. Y todos se quedaron con la boca abierta.

Joe, Tom y Huck avanzaban por el centro del pasillo. Habían estado escondidos en el coro, oyendo su propio funeral. Estaban conmovidos y perplejos por aquella oración fúnebre que los ha-

iglesia. Comentaban en voz baja la triste desaparición de los tres muchachos. El templo se fue llenando silenciosamente. Nadie en el pueblo recordaba haberlo visto tan lleno antes.

Los murmullos cesaron al entrar tía Polly seguida de Sid, Mary y la familia Harper, todos ellos rigurosamente enlutados. La gente se puso en pie, hasta que los familiares de las «víctimas» tomaron asiento en los bancos preferentes.

Sólo se escuchaban sollozos. El clérigo subió al púlpito y todos los presentes se dispusieron a cantar un himno conmovedor que empezaba: «Yo soy la Resurrección y la Vida».

Durante el oficio religioso, el clérigo describió vivamente las excelencias de los muchachos desaparecidos. Muchos de los fieles sintieron remordimientos por el trato que les habían dado en vida.

Tras mostrar su ira, apiadada sin duda de los chiquillos, la naturaleza dio por concluida la batalla. Los relámpagos fueron menos frecuentes y los truenos se oyeron más espaciados. La paz volvió al espíritu de los jóvenes aventureros.

Pasado el susto, decidieron regresar al campamento. Allí se encontraron una desagradable sorpresa: la gran higuera, bajo la que habían fumado tan alegremente, había sido fulminada por un rayo. Afortunadamente, ellos ya no estaban bajo su copa, si no, hubiera sido terrible.

* * *

En el pueblo, la campana comenzó a tocar a muerto. El lúgubre sonido parecía armonizar con el silencio reinante.

A la llamada de la campana, la gente del pueblo empezó a congregarse en la

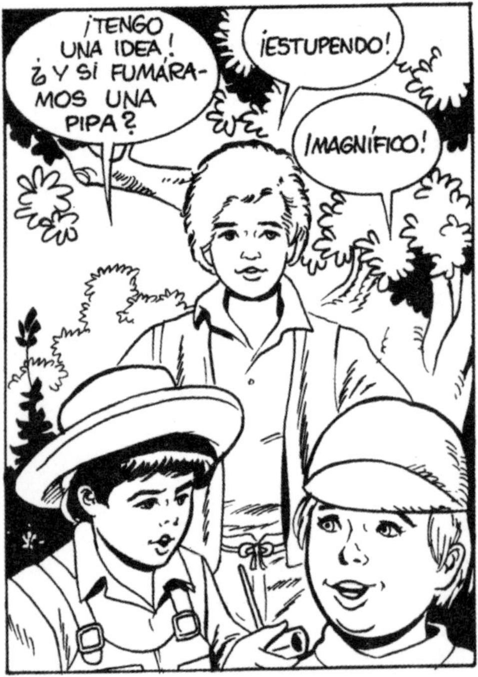
¡TENGO UNA IDEA! ¿Y SI FUMÁRAMOS UNA PIPA?
¡ESTUPENDO!
¡MAGNÍFICO!

Tom no quiso demostrarlo, sino que afirmó:

—Si llego a saber que fumar era esto, lo habría probado mucho antes.

—Lo mismo digo —aseguró Joe—. Muchas veces se me pasó por la cabeza. ¿No es cierto, Huck?

—Cierto, Joe —confirmó Huck—. Y qué, ¿os gusta?

—¿Que si me gusta? —respondió Joe—. Estoy seguro de que podría fumar un día entero sin marearme.

De pronto, un relámpago acabó con la diversión convirtiendo la noche en día. Luego resonó el estallido del trueno, que se perdió en la distancia. Violentas ráfagas de aire arrancaron hojas de los árboles y dispersaron las cenizas de la hoguera. Inmediatamente se desató un tremendo aguacero y los muchachos, asustados, corrieron a refugiarse bajo la lona.

PASARON VARIOS DÍAS. TOM PROPUSO A SUS AMIGOS EXPLORAR LA ISLA
SEGURO QUE HA HABIDO PIRATAS POR AQUÍ, EN TIEMPOS PASADOS... ¡TAL VEZ ENCONTREMOS UN ARCÓN REPLETO DE ORO Y PLATA!
¡HUM! ¡NO LO CREO! ¡TAL VEZ DEBERÍAMOS VOLVER A CASA!

ban, les comunicó su genial idea. Ambos le escucharon primeramente malhumorados, pero al final lanzaron un alarido de entusiasmo ante lo que acababan de oír. Si lo hubiera dicho antes, no habrían querido marcharse.

Los muchachos volvieron alegremente sobre sus pasos, sin dejar de hacer comentarios acerca del plan de Tom, a quien consideraban un hombre genial, que con los años llegaría a ser una personalidad importante en el pueblo.

* * *

Huck tenía tabaco y pipas. Se acodaron en la hierba y empezaron a echar bocanadas de humo. Sin embargo, el sabor les pareció desagradable y tanto Joe como Tom, a pesar de dárselas de hombres, sintieron náuseas. No obstante,

El entusiasmo que despertó con estas palabras fue muy escaso. En vista de ello, Tom insistió con nuevas seducciones, pero fracasó también. Joe estaba muy triste, con la vista fija en el suelo mientras removía la arena con un palo. Hasta que no pudo contenerse más y propuso:

—¿Y si dejáramos esto?

—¿Para hacer qué?

—¡Volvamos a casa! Deben de creer que hemos muerto.

Joe y Huck estaban dispuestos a abandonar la isla y regresar a casa.

Tom se sintió solo y terriblemente triste. Su lucha interior contra el orgullo se hizo más fuerte.

—¡Joe!, ¡Huck! —llamó—. Tengo que deciros algo...

Los dos muchachos se volvieron. Cuando Tom llegó donde se encontra-

LOGRARON UNA BUENA PESCA. FRIERON EL PESCADO CON EL TOCINO Y BEBIERON AGUA DE UN MANANTIAL CERCANO

POR LA NOCHE, TOM HIZO UNA ESCAPADA A SU CASA

CAPÍTULO V

Los días pasaban en calma. En cierta ocasión, Tom afirmó:

—Estoy seguro de que esta isla fue visitada anteriormente por otros piratas. No creo que perdiéramos nada, sino todo lo contrario, explorándola nuevamente.

—¿Tú crees que encontraríamos algo? —dudó Joe.

—Ya lo creo. Estoy seguro de que aquí hay escondido algún tesoro. ¿Qué os parecería si halláramos algún arcón repleto de oro y plata?

SE DURMIERON SOBRE LA HIERBA, FELICES, SINTIÉNDOSE LOS PROTAGONISTAS DE UNA GRAN AVENTURA. A LA MAÑANA SIGUIENTE SE BAÑARON Y SE PUSIERON A PESCAR

levantó, cubrió con la mano la luz de la lámpara y se acercó a contemplar a tía Polly que dormía. Tuvo entonces un impulso, se inclinó sobre ella y la besó. Sin entretenerse más, salió de la estancia, cerrando la puerta tras de sí.

Emprendió el camino de regreso, sin encontrarse con nadie. No tardó mucho en estar de regreso junto a sus amigos.

Bien es verdad que no existe mejor salsa que el hambre.

* * *

Tom había dejado escrita una carta de despedida cuando se escapó. Aquella noche, sin embargo, deseoso de saber cómo habían reaccionado en el pueblo, decidió acercarse a su casa furtivamente.

Saltó la valla y espió el interior por una ventana. En el salón había luz. Tía Polly, Sid, Mary y la madre de Joe hablaban y lloraban recordando a los desaparecidos. Tom se dirigió a la puerta y levantó el pestillo. Entró y se ocultó a esperar...

Permaneció inmóvil hasta mucho después de que tía Polly se hubiese dormido. Cuando todo estuvo en silencio, Tom se

A la mañana siguiente, después de bañarse, regresaron al campamento. Estaban contentos, pero tenían hambre y volvieron a prender el fuego.

Huck encontró un manantial de agua fresca y clara, los muchachos improvisaron vasos con hojas de roble y nogal. El agua les pareció tan deliciosa como una naranjada. Mientras Joe se disponía a cortar unas tajadas de tocino para el desayuno, Tom y Huck se dirigieron a un rinconcillo prometedor para echar sus anzuelos. No transcurrió mucho tiempo sin que se vieran recompensados: habían pescado unos grandes róbalos, un barbo y un par de truchas. Más que suficiente para toda una familia.

Frieron el pescado junto con el tocino y al probarlo quedaron maravillados, nunca habían comido nada tan delicioso.

AQUELLOS DÍAS TOM SE SENTÍA DEPRIMIDO, DESESPERADO. DECIDIÓ ESCAPAR DE CASA CON SUS AMIGOS JOE HARPER Y HUCKLEBERRY FINN. ¡SE HARÍAN PIRATAS Y LLEGARÍAN A SER FAMOSOS!

—A la orden, capitán.

Eran las dos de la mañana, aproximadamente, cuando la balsa se acercó a la orilla de una isla cercana. Los muchachos la vadearon varias veces hasta conseguir desembarcar su escaso equipaje. Entre lo poco que pertenecía a la balsa, había una vela vieja que extendieron sobre los matorrales, formando una especie de tienda de campaña para proteger las provisiones.

Se internaron en las profundidades del bosque y, junto a un viejo tronco caído, encendieron fuego. Frieron unas lonchas de tocino en la sartén y las comieron acompañadas de una torta de maíz.

Cuando ya no quedó tocino ni torta, se tendieron los tres sobre la hierba, felices y satisfechos con su nueva vida.

—¿Qué dirían nuestros amigos si pudieran vernos? —se preguntaba Tom.

La decisión de escaparse de Tom era tan convincente que Joe tuvo que darle toda la razón. Y así fue como aceptó unirse a él en sus planes. ¡Se harían piratas y llegarían a ser famosos por sus hazañas!

* * *

Joe, Tom y Huck, que se les había unido, se encontraron en un lugar solitario y a la orilla del río a su hora favorita: medianoche. Había allí una pequeña balsa de troncos de la cual se apropiaron.

Tom se colocó al mando. Huck cogió el remo posterior y Joe el delantero. Tom, de pie en medio de la embarcación y con los brazos cruzados, daba órdenes en tono autoritario y severo.

—¡Ceñid la nave al viento!

TOM DURMIÓ MAL ESA NOCHE. TÍA POLLY LE OYÓ HABLAR EN SUEÑOS
DECÍAS "ES SANGRE, ES SANGRE", "NO TE ATORMENTES, YO LO DIRÉ". ¿QUÉ ES LO QUE TIENES QUE DECIR?
¡NADA! ¡ES QUE NO OLVIDO EL ASESINATO DEL DOCTOR!

servar, y el corazón de Tom dio un vuelco. Era Becky que dijo al pasar:

—Hay personas que se imaginan que son gran cosa. Siempre están haciéndose los graciosos.

Tom se dio por aludido.

Se levantó con las mejillas rojas y se alejó tristemente para meditar acerca de las palabras de la muchacha.

Aquellos días, Tom se sentía melancólico, deprimido. Llegó a la conclusión de que nadie le quería y que sólo le quedaba alejarse para siempre de allí.

Se desahogó con Joe Harper, su gran amigo. Aunque Tom lo ignoraba hasta entonces, ambos eran «almas unidas por el mismo anhelo». La madre de Joe le había pegado por comerse un plato de crema. La represalia convenció al muchacho de que su madre estaba cansada de él y sólo deseaba que se fuera de casa.

MUFF FUE ACUSADO DEL ASESINATO DEL DOCTÓR. EL INDIO JOE DECLARÓ CONTRA ÉL
¡YO VI CÓMO MUFF MATABA AL DOCTOR!
¡CON QUÉ APLOMO MIENTE ESE CRIMINAL!
¡SSSST! ¡CALLA!

—Nada, tía. Es que no olvido el asesinato del doctor.

—Es verdad, Tom. Ese horrible asesinato... Yo también sueño con ello muchas noches. ¡Y a veces sueño incluso que el asesinato lo cometí yo!

A su prima Mary, la hermana de Sid, le sucedía lo mismo. Y a Sid. Tom respiró más tranquilo.

—Bueno —dijo tía Polly—. Márchate antes de que vuelva a enfadarme. Y trata de ser bueno y obediente, aunque sólo sea por una vez.

Tom llegó a la escuela con anticipación, lo cual era insólito. Como lo era que rondara ante la entrada del patio, en vez de jugar con sus compañeros. Hasta que no tuvo más remedio que entrar en la escuela, vacía aún, y sentarse a sufrir un poco más. Pero... una muchacha pasó ante la entrada, que él no dejaba de ob-

CAPÍTULO IV

Al cabo de unos días, tía Polly interrogaba muy seria a Tom.

—¡Malo, malo! ¿Qué te pasa, Tom?

—Le repito que no me pasa nada, tía.

—No te ocurre nada, pero estabas temblando de tal modo que derramaste el café y en sueños dices unas cosas muy raras —continuó—. Anoche te oí decir claramente: «Es sangre, es sangre...». Y lo repetiste varias veces. Y luego: «No te atormentes, que yo lo diré...». ¿Qué es lo que tienes que decir? —preguntó tía Polly.

riff le interrogó en el escenario del crimen, en presencia de todo el pueblo:

—¿Es tuyo este cuchillo, Potter?

Si no hubiera sido sujetado por un brazo, Muff se habría desvanecido. Buscó con la mirada a Joe el indio que se hallaba cerca y le suplicó:

—Habla Joe, diles lo que ocurrió. ¡Todo es inútil ahora...!

Tom y Huckleberry quedaron mudos, con los ojos desorbitados... Se estremecieron de sorpresa y espanto al escuchar la serena declaración del indio, acusando a Muff del asesinato. Cuando Joe terminó el falso relato de los hechos, los dos muchachos sintieron el deseo de romper su juramento, salvando así al pobre hombre traicionado por el verdadero criminal.

pletamente seguro —le juró Tom a su amigo y cómplice, palideciendo y con voz temblorosa. Poco después, los dos muchachos se alejaban de allí a toda prisa.

* * *

Al día siguiente, en el pueblo hubo comentarios para todos los gustos. Habían encontrado al hombre asesinado. Según los rumores que circulaban, el cuchillo homicida era de Muff Potter. También se decía que un trasnochador había tropezado con Potter entre la una y las dos de la madrugada. Y añadían que el borrachín, que estaba lavándose las manos en el arroyo, al verse sorprendido, había echado a correr.

¡Qué sospechoso era todo aquello! Muff fue acorralado poco a poco. El *she-*

Tom no estaba muy seguro del valor de su vida en el futuro. Temía que Huck, un día u otro, explicara lo que había visto. Y entonces...

Cuando se quedaron solos, Tom preguntó a su amigo:

—Oye, Huck, ¿estás seguro de que podrás callártelo?

—A la fuerza, Tom. Es preciso que no digamos una palabra. Al indio no le importaría nada matarnos a los dos, tiene práctica en esas cosas. Mira, lo mejor es que nos pongamos de acuerdo y prometamos guardar silencio absoluto.

—Conforme.

—Pase lo que pase, no hemos visto nada. De lo contrario nos jugamos la vida, no lo olvides nunca —añadió con voz dramática y ronca.

—Te prometo que jamás contaré nada a nadie, de eso puedes estar com-

TODO EL DÍA LO PASÓ TOM MUY TRISTE POR LO MAL QUE IBAN SUS ASUNTOS AMOROSOS. POR LA NOCHE SE FUE AL CEMENTERIO CON HUCKLEBERRY FINN

—No he olvidado que hace cinco años me echó de su servicio, me despidió.

—¡No toque usted a Joe! Es peligroso —intervino Muff, dirigiéndose al médico.

—No me des órdenes, Muff, yo hago lo que quiero. Además, estás completamente borracho —dijo el doctor.

Los tres hombres discutían cada vez con más violencia.

Desde su escondite, Tom y Huck seguían la trifulca verdaderamente asustados.

La pelea acabó de repente de un modo trágico: el indio Joe apuñaló al doctor, su cuerpo cayó al suelo sin vida.

Ambos muchachos quedaron aterrorizados.

* * *

blo, se hallaba invadido por la hierba y la cizaña. El viento gemía colándose entre los árboles, Tom se imaginó que eran los espíritus de los muertos que se agitaban al ver turbado su reposo. Los dos chicos no se atrevían a hablar. La hora, el lugar, el silencio..., todo contribuía a oprimir sus almas.

Pero el miedo los dejó totalmente paralizados cuando vieron acercarse a ellos una luz y tres sombras.

Instantes después, escondidos tras una tumba, escucharon la discusión de tres individuos, a los cuales conocían bien: el doctor Robinson, el indio Joe y el borrachín Muff Potter:

—¿Qué significa esto? —exclamó el médico—. Habéis pedido vuestra paga y ya os la he dado.

El indio Joe, terrible y amenazador, se acercó al médico.

CAPÍTULO III

Aquella noche Tom se vistió apresuradamente y, unos instantes después, se arrastraba a gatas por el tejado del desván. Maulló dos o tres veces, sin dejar de avanzar. Saltó al tejado del cobertizo y después al suelo. Allí estaba esperándole Huckleberry Finn, con su gato muerto.

Juntos emprendieron seguidamente su excursión nocturna. Media hora después pisaban las altas hierbas del cementerio.

Éste, situado a milla y media del pue-

TOM SOPORTÓ BIEN EL CASTIGO. REBO-
SABA DE JÚBILO POR HABER PODIDO
DECIR A BECKY QUE LA QUERÍA

TERMINADA LA CLASE, TOM CORRIÓ
AL LADO DE LA MUCHACHA

porta. Tom quiso acariciarla, pero ella le rechazó. Se volvió hacia la pared y continuó llorando desconsoladamente. Era inútil todo intento por convencerla. Becky había sufrido un gran desengaño que le costaría bastante olvidar.

Tom no creía merecer aquel trato. Algún día ella lo lamentaría. ¡Ah, si fuera posible morirse temporalmente! ¿Cómo pediría a Dios que le diese esta muerte transitoria?

Pero la meditación, y más aún la meditación acerca de los problemas del más allá, no era el fuerte de Tom. Y otra vez se dispuso a volver a la realidad, a los asuntos cotidianos.

EL PROFESOR, QUE HABÍA OBSERVADO
ALGO EXTRAÑO, COGIÓ A TOM POR LA
OREJA Y LO PUSO DE PIE, AL FONDO
DE LA SALA

muchacho que le quieres y que siempre le querrás.

—Pero yo...

—¿Es que no te acuerdas, Becky, de lo que escribí en el papel?

—Pero dime, ¿tú no has estado prometido nunca?

Tom vaciló antes de responder. La muchacha tenía razón. Si él se lo había preguntado, era normal que ella se lo preguntara también.

—No... Es decir..., Amy Lawrence y yo una vez...

—¡Oh, Tom! —gimió la muchacha—. Me has engañado. No es la primera vez que estás prometido... —Y se echó a llorar.

—No llores, por favor, que me harás llorar a mí, Becky. Te aseguro que Amy ya no me importa nada.

—Tú sabes bien que sí, que te imse vio agarrado por la oreja y conducido al fondo de la sala, donde tuvo que cumplir su castigo de pie.

A Tom le escocía la oreja y parte de la mejilla, pero su corazón rebosaba de júbilo. Había conseguido declararse a la dulce Becky.

Al final de la clase, salió volando a su encuentro. Cuando estuvo cerca le murmuró al oído:

—¿Has estado prometida alguna vez, Becky?

—¿Prometida? ¿Qué es eso?

—Pues cuando uno se promete, es para casarse con alguien.

—No, yo nunca he estado prometida. Ni tampoco lo estoy ahora.

—¿Te gustaría? —siguió interrogándola.

—Creo que sí. ¿Qué hay que hacer?

—Es muy fácil. Tienes que decir a un

muchacha y él repitió la operación. Ella lo rechazó otra vez, si bien con menos energía... Y Tom insistió. Hasta que venció, porque la bella muchacha permitió desdeñosamente que el hermoso melocotón se quedara allí.

Luego, Tom se puso a hacer garabatos en el papel.

—¿Qué escribes?

—¡Oh, nada, Becky! —y trató de ocultárselo a la muchacha.

—No se lo diré a nadie, Tom... —aseguró ella.

—Bien, ya que quieres verlo... ¡Mira! —y dejó que la muchacha leyera lo escrito: «Te amo, Becky».

Ella enrojeció, pero parecía satisfecha aunque murmuró por lo bajo:

—¡Qué malo eres, Tom!

El profesor se había dado cuenta de todo. Y cuando menos lo esperaba, Tom

—Tomas, ésta es la confesión más aberrante que he oído. Los reglazos no son suficiente castigo para tal ofensa. Quítese la chaqueta y siéntese en el banco de las muchachas.

Tom, feliz por haber conseguido lo que quería, se sentó en un extremo del banco de pino. Becky se apartó dando un respingo. Tom estaba inmóvil, sin despegar los labios, ni pestañear. A su alrededor, codazos, guiños, murmullos...

Poco después cesó la atención concentrada en él. Entonces comenzó a dirigir furtivas miradas a Becky. Pero ésta lo notó enseguida; le sacó la lengua y luego le volvió la cabeza. Cuando le miró nuevamente, aunque con disimulo, ante ella apareció un melocotón. Lo empujó para apartarlo. Pero Tom volvió a colocarlo en su sitio. Lo rechazó de nuevo la

—¡Oh! Pero, ¿cómo supo tu padre que ella lo estaba embrujando?

—Dicen que reza el padre nuestro, pero al revés; yo no lo sé.

Tom llegó por fin a la escuela y se dirigió hacia el interior con paso firme. El maestro dormitaba, pero al ver entrar a Tom se espabiló.

—¡Tomas Sawyer! ¿Por qué llega usted tarde otra vez?

Tom tardaba en responder. Era necesario encontrar una buena mentira. Pero al ver las dos largas trenzas rubias en la espalda de Becky, reaccionó de modo muy distinto:

—¡Me he entretenido hablando con Huckleberry Finn!

—¿Qué dice que ha hecho?

El muchacho insistió imperturbable:

—Me he parado a charlar con Huckleberry Finn.

SE ENCONTRÓ CON HUCKLEBERRY FINN, UN CHICO TRAVIESO Y MAL EDUCADO, AMIGO SUYO
¿QUÉ TE PARECE ESTE GATO MUERTO?
¿PARA QUÉ SIRVE?
LOS GATOS MUERTOS SIRVEN PARA CURAR LAS VERRUGAS

—Claro que no. Ni una sola palabra. Te lo aseguro. —Y tras una pausa—: ¿Por qué lo preguntas, Tom?

—Te lo diré francamente: porque tengo mucho miedo, Huck.

—¿Miedo de qué? Nadie sabe nada de lo que ocurrió. Si el indio se hubiera enterado de que le vimos, no hubiéramos vivido ni un solo día, eso seguro.

Tom sintiose mucho más tranquilo. Pero no del todo.

—¿Nadie sería capaz de hacerte hablar?

—¿A mí? ¡Ni que estuviera loco! Sólo lo haría si sintiera el deseo de que Joe el sanguinario me ahogase entre sus garras. Y ya comprenderás que eso no me hace ninguna gracia. Ni pensarlo siquiera.

—Está bien. Pero oye una cosa: continúa con la boca cerrada.

BECKY SE HABÍA IDO A PASAR LAS VACACIONES CON SUS PADRES. PARA COLMO DE MALES TOM COGIÓ EL SARAMPIÓN. TUVO QUE PERMANECER EN CAMA DURANTE DOS SEMANAS, QUE LE PARECIERON INTERMINABLES

—No faltaría más. No temas. Tengo tanto miedo como tú.

—Pero es preciso renovar el juramento.

—Por mí no hay ningún inconveniente.

Y con toda solemnidad, prometieron de nuevo guardar silencio.

—¿Qué se dice por el pueblo? He oído tantas cosas, que me estoy haciendo un lío. En serio, ¡no he comprendido nada!

—Se dice que el autor del crimen es Muff Potter. Esto es terrible, pues tú sabes tan bien como yo que es inocente.

Tom y Huck se acercaron a la reja de la celda para ofrecer a Potter un poco de tabaco. Estaban satisfechos de su comportamiento hacia aquel hombre. Pero a la vez se sentían cobardes, traidores incluso. Sobre todo cuando aquel día oyeron de labios de Potter:

SE PRODUJO ENTONCES UN GRAN ACONTECIMIENTO: LA VISTA PÚBLICA DE LA CAUSA CONTRA MUFF POTTER, ACUSADO DEL ASESINATO DEL MÉDICO DEL PUEBLO.

—Nadie ha sido tan bueno conmigo como vosotros, muchachos. No podré olvidaros. Los demás no quieren saber nada de mí. ¡Me consideran un asesino! Ni siquiera los muchachos a quienes enseñaba buenos sitios para pescar se acuerdan de Muff Potter. Es cierto que cometí una mala acción. Pero os aseguro que no sabía lo que me hacía. En aquellos momentos yo estaba borracho, se me nubló la vista y... Ésta es mi disculpa. Pero eso no me librará de la soga. Es lo justo, desde luego. Quien obra mal termina mal. Ya lo sé, pero...

Tom regresó a su casa angustiado, y aquella noche tuvo pesadillas horribles.

Al día siguiente se celebraba la vista pública de la causa. Tom fue a la Audiencia sintiendo el impulso de entrar, pero decidió no hacerlo. Lo mismo le sucedió a Huck. Evitaban encontrarse, pero los dos acudían al mismo lugar, como fascinados, porque estaban pendientes del caso.

El segundo día del proceso, Tom se quedó merodeando alrededor de la Audiencia. Estaba muy atento a cuanto decían los que salían y entraban en la sala. El cerco iba estrechándose en torno a Potter, asfixiándole.

La vista no terminó aquel día. Aún había que interrogar a varios testigos. Por otra parte, la declaración acusadora del indio Joe seguía siendo firme y segura.

Por ello era de esperar que la sentencia fuese unánime. ¡Pobre Muff Potter!

* * *

A la mañana siguiente, el público acudió en mayor número todavía a la sala del tribunal. Aquel día era el deci-

A PESAR DE SUS TEMORES, TOM Y HUCK
FUERON A LA CÁRCEL A VER A POTTER Y LE
OFRECIERON UN POCO DE TABACO

sivo. Tras una larga espera, comparecieron los miembros del jurado. Después apareció encadenado Potter. Estaba pálido y era evidente su desesperación porque se acercaba la hora suprema del veredicto.

Llegó el juez y el *sheriff* pronunció las palabras que reanudaban la vista. Todo contribuía a crear una atmósfera tensa, impresionante.

—Por las declaraciones de los testigos se deduce que el procesado es culpable de asesinato —sentenció el fiscal solemnemente, en medio de un silencio mortal.

Había llegado el momento de que interviniera el defensor.

Dirigiéndose al ujier, solicitó en tono grave y no menos solemne:

—¡Que pase Tom Sawyer!

Un murmullo creciente invadió la sala.

Todos se volvieron, incluso Potter, cuando Tom entró en la sala,

—Tomas Sawyer, ¿dónde te hallabas el 17 de junio a medianoche? —preguntó el defensor.

Tom, que estaba atemorizado, recobró la serenidad y respondió decididamente:

—En el cementerio.

—¿Y qué hacías allí? Habla sin reparo, muchacho. Has jurado decir la verdad.

—Pues había ido... a llevar un gato muerto.

En la sala se produjo una algazara que el juez tuvo que cortar.

—Que se muestre como prueba el esqueleto de ese gato.

En un rincón, sobre el entarimado, muy cerca del juez, había un envuelto;

quedó demostrado con toda claridad que se trataba del esqueleto de un gato.

—Y ahora Tom Sawyer, cuenta lo que viste. Hazlo a tu manera, pero sin olvidar nada y sin miedo.

Al principio, Tom titubeó, pero a medida que se iba adentrando en el relato de los hechos, las palabras surgían de sus labios con prodigiosa facilidad y claramente. Todas las miradas se centraban en él, pendientes de cuanto decía. La tensión iba en aumento y llegó al punto culminante cuando el muchacho declaró:

—Mientras el doctor se defendía con un madero y Muff Potter caía, el indio Joe saltó con el cuchillo y entonces...

Al oír la tajante declaración de Tom Sawyer, aprovechando el desconcierto reinante, el criminal mestizo saltó a través de una ventana próxima y, una vez

LA VISTA HABÍA DURADO DOS DÍAS. LA ATMÓSFERA ERA TENSA. POR LAS DECLARACIONES DE JOE EL INDIO Y DE LOS TESTIGOS, SE DEDUCÍA QUE EL PROCESADO ERA CULPABLE DE ASESINATO

en la calle, echó a correr como si le estuviera persiguiendo una fiera.

De nuevo Tom Sawyer se había convertido en un héroe, el favorito de las personas mayores y la envidia de los pequeños.

Incluso apareció su nombre en los periódicos y hubo quien afirmó que de seguir a ese paso llegaría a presidente de los Estados Unidos.

Pero si los días estaban llenos de gloria para Tom, las noches, en cambio, constituían para él una verdadera pesadilla. Porque lo cierto era que el indio Joe no había sido encarcelado. El muchacho estaba siempre pendiente de la venganza que el mal hombre pudiera desencadenar contra él. Tal era su terror, que se negaba a salir al anochecer y lo mismo le ocurría a su amigo Huck. Ambos necesitaban urgentemente distraerse con algo.

LE TOCÓ EL TURNO DE HABLAR AL ABOGADO DEFENSOR

¡QUE PASE TOM SAWYER!

TOM, QUE SE HABÍA DECIDIDO A HABLAR ENTRÓ EN LA SALA PÁLIDO, PERO SERENO Y DECIDIDO

CAPÍTULO IX

Inevitablemente, llega un momento en la vida de un muchacho normal, sobre todo si tiene espíritu aventurero, en que anhela vivir alguna experiencia que le conduzca al hallazgo de tesoros ocultos.

Eso es lo que le sucedió a Tom. Quiso convencer a Joe Harper de que se le uniera en la búsqueda, pero fracasó en su empeño. Luego lo intentó con Ben Rogers, pero Ben se había ido a pescar. En cuanto a Huck, alias «Mano Roja», le dijo que tenía que pensarlo. Por fin, se mostró conforme al escuchar de labios de Tom el proyecto que había concebido.

Pero Huck necesitaba pruebas, o por lo menos indicios, de que existía un tesoro. No valía la pena obrar a tientas, sin ninguna posibilidad de éxito. Por eso preguntó a su compañero dónde tendrían que cavar para encontrar el tesoro que buscaban.

—En muchos sitios —le respondió su amigo.

Huck no estaba muy convencido con aquella vaga respuesta. ¿Acaso el tesoro se hallaba disperso por todas partes?

Dispuestos a correr la nueva aventura, los dos muchachos se hicieron con un pico y una pala.

Llegaron sudorosos y jadeantes al lugar elegido por Tom, después de darse

una caminata de más de cinco kilómetros.

Les gustó el sitio y antes de disponerse al rudo trabajo, encendieron sus pipas, Ahora Tom ya no le tenía miedo al tabaco. Después de la primera experiencia mareante, se había curtido. Quería seguir adelante, como un hombre.

—Oye, Huck —preguntó, entre bocanada y bocanada de humo—, ¿qué harás con tu parte, en el caso de que encontremos un tesoro?

—Lo primero, comprarme un pastel y un vaso de soda.

Cavaron en varios sitios, pero sin encontrar nada de nada. Tom creyó dar con la clave:

—Volveremos a medianoche y cavaremos donde señale la sombra del árbol.

Era noche cerrada cuando Huck maulló, al pasar por la ventana de Tom. Era

CON SU DECLARACIÓN, TOM SE CONVIRTIÓ OTRA VEZ EN EL HÉROE DEL PUEBLO. HABÍA QUIEN DECÍA QUE CON EL TIEMPO LLEGARÍA A SER PRESIDENTE DE LOS ESTADOS UNIDOS

PERO EL MUCHACHO SENTÍA TERROR CUANDO PENSABA EN QUE EL INDIO JOE ESTABA AÚN EN LIBERTAD

la señal, su amigo salió de casa y ambos emprendieron la marcha. A la hora convenida estaban allí.

Calcularon que ya era medianoche. Buscaron el sitio donde se proyectaba la sombra del árbol y se pusieron a cavar. Sin éxito...

—Me parece que otra vez nos hemos equivocado.

—Es lo más probable.

—A lo mejor hemos calculado mal la hora a la que se debe empezar.

—Abandonemos este sitio y busquemos en otra parte.

—Pero, ¿dónde?

Tom se detuvo a reflexionar un momento, para exclamar finalmente:

—¡Ya lo tengo! ¡Iremos a la «casa de los duendes»! Aunque, será mejor dejarlo para mañana.

Cerca ya del mediodía, los muchachos

llegaron hasta el árbol muerto donde habían dejado el pico y la pala. Los cogieron y se pusieron en marcha, ya no podían esperar más, había que llegar cuanto antes a la siniestra «casa de los duendes». Los dos estaban impacientes.

Cuando llegaron a la vista de la casa se quedaron paralizados. Aquel silencio tan profundo los sobrecogía. Todo parecía lúgubre y desolado. Los muchachos vacilaron: «¿Entramos o no?»

Finalmente, decididos, se deslizaron a través de la puerta. Tuvieron el tiempo justo de esconderse en el piso de arriba, abandonando las herramientas. ¡Alguien se acercaba!

—Mira quién entra —susurró Huck.

Penetraron dos hombres. Uno de ellos era un viejo mejicano; recientemente había estado un par de veces en la ciudad y fingía ser sordomudo. En cuanto al

SE HICIERON CON UN PICO Y UNA PALA
Y SE ALEJARON DEL PUEBLO MÁS DE
CINCO KILÓMETROS. ANTES DE EMPE-
ZAR A CAVAR, ENCENDIERON SUS
PIPAS

otro, que estaba de espaldas, no le reconocían, pero parecía ser de cuidado. Era él quien hablaba, lo hacía en voz baja, como si presintiera que alguien les estaba escuchando. Iba despeinado y su aspecto no inspiraba confianza alguna. Cuando alzó la voz dejó a los muchachos sin aliento. ¡Era la voz del indio Joe!

Aquellos dos hombres sacaron provisiones y se dispusieron a comerlas. Tras un largo rato en silencio, el indio tomó la palabra:

—Compañero, tienes que regresar al pueblo y esperarme hasta que yo te lo diga. Quiero dejarme caer por allí y echar un vistazo. El golpe que tenemos planeado solamente lo llevaremos a cabo cuando veamos que no hay peligro. Y después, ¡escaparemos a Texas los dos!

«Menos mal», pensaron aliviados los muchachos.

Poco después, los dos hombres empezaron a bostezar, tenían sueño y se echaron a dormir.

Casi no había pasado un cuarto de hora cuando el indio despertó. Se incorporó y miró a su alrededor. Sonrió al ver a su compinche dormido.

—¿No habíamos quedado en que estarías de guardia?

—¿Eh? —se sobresaltó el otro.

—¡De modo que dormido!... Menos mal que no ha ocurrido nada.

—¿Dormido yo?

—Dejémoslo, se acerca la hora de largarnos. Pero, ¿qué haremos con lo que tenemos escondido? Además, antes de largarnos he de ajustar las cuentas a alguien... —dijo Joe sombríamente.

—Lo mejor será dejarlo aquí. Seis-

cientos cincuenta dólares pesan lo suyo.

—De acuerdo. Ya volveremos a por
ello en otro momento.

—Pero yo preferiría hacerlo por la noche —dijo el mejicano.

—Sin embargo, pueden ocurrir cosas
mientras tanto. Será preferible que ente-
rremos bien este dinero.

El compinche de Joe cruzó la estancia
y, arrodillándose, levantó una de las pie-
dras del fondo de la chimenea. Entre sus
manos apareció un saco que tintineó alegremente. Sacó un puñado de monedas
—veinte o treinta dólares— y se las
guardó, luego repartió otras tantas al indio. A continuación entregó el saco a
éste, que se hallaba cavando un agujero
con su cuchillo de caza.

Los muchachos no dejaban de obser-
var desde su escondrijo. En sus ojos re-

VENCIENDO EL MIEDO QUE SENTÍAN, FUERON A LA CASA DE LOS DUENDES. ACABABAN DE ENTRAR EN ELLA, CUANDO DOS HOMBRES LLEGARON AL LUGAR

lucía la codicia. Seiscientos dólares bastaban para enriquecer a media docena de muchachos. ¡Esto sí que era encontrar un tesoro y sin necesidad de molestarse demasiado! A cada momento se daban codazos, como si el uno quisiera decir al otro: «¡Qué suerte estar aquí!».

En pleno entusiasmo, los muchachos se descuidaron e hicieron crujir la madera podrida.

Los compinches se detuvieron vigilantes y entonces descubrieron las herramientas. El indio, cuchillo en mano, se dispuso a subir al piso de arriba. Pero las podridas escaleras cedieron con su peso y el hombre cayó al suelo entre los escombros. Se incorporó, lanzando maldiciones mientras que su compañero amenazaba:

—Si hay alguien ahí arriba, que baje ahora, si se atreve.

Ante el silencio por respuesta se dirigió a Joe:

—Dentro de poco habrá oscurecido. Nos largaremos con el botín y a ver quién se atreve a seguirnos. A mi entender, quien dejó las herramientas aquí nos vio llegar y, tomándonos por fantasmas o por diablos, huyó. Estoy seguro de que todavía está corriendo.

Cuando los muchachos pudieron incorporarse estaban entumecidos. Se sentían aliviados después de haber pasado tanto miedo. A través de las grietas que se abrían en los muros, observaron la marcha de los malhechores. ¿Iban a seguirlos? No, cualquier cosa era preferible antes que arriesgarse a ser descubiertos.

CAPÍTULO X

Al despertar en su cama, Tom pensó que todo lo ocurrido pertenecía al mundo de los sueños o que, de haber sucedido en realidad, correspondía a una época remota, a un mundo extraño.

Salió a dar una vuelta y encontró a Huck sentado en una pequeña barca. Tenía un aspecto melancólico.

—Huck, no he dejado de darle vueltas. Tenemos que encontrar el tesoro de Joe el indio.

—Estoy de acuerdo contigo. Pero

COGIERON UN SACO DE DINERO QUE TENÍAN EN EL FONDO DE LA CHIMENEA, SE REPARTIERON UNOS DÓLARES Y EL RESTO LO ENTERRARON EN EL SUELO

para ello habría que seguirlos, saber dónde tienen su guarida en el pueblo, dónde lo han escondido.

—Eso es, vigilaremos.

Espiaron varias noches, pero sin suerte. Martes, miércoles... ¡Qué largas se les hacían las horas! Pero ni el indio ni el mejicano daban señales de vida.

Una mañana, Tom se enteró de algo que le llenó de alegría: la familia del juez Thatcher había regresado la noche anterior. Momentáneamente, el indio Joe y el tesoro pasaron a un segundo plano en el interés de Tom. Ahora ocupaba el lugar preferente una niña rubia: Becky.

* * *

Unos días después se llevaba a cabo la excursión que, poco antes de las vacaciones, había proyectado Becky. Para

LOS MUCHACHOS, CON LOS OJOS RELUCIENTES, OBSERVABAN A LOS MALHECHORES. POR LO VISTO, ÉSTOS TENÍAN UN GRAN TESORO OCULTO EN ALGÚN SITIO

tal circunstancia había sido fletado un viejo barco de vapor.

Se reunieron todos los chicos y, en alegre comitiva, desfilaron por la calle principal del pueblo. Únicamente faltaban Sid y su hermana. El muchacho se hallaba indispuesto y Mary se quedó en casa, haciéndole compañía.

—Cuando volváis será muy tarde. Es mejor que te quedes a dormir con alguna de las niñas que viven cerca del embarcadero —recomendó la señora Thatcher a su hija Becky.

—Sí, mamá. Me quedaré en casa de Susy Harper.

A unos seis kilómetros de la población, río abajo, el vapor se detuvo, amarrando en un paraje arbolado y frondoso. Los excursionistas se desparramaron corriendo alegremente por toda la ribera.

Huck vio parpadear las luces del vapor a lo largo del embarcadero, cuando volvían de la excursión. Como de costumbre, él no había ido con los demás. Se encontraba montando guardia en las afueras del pueblo, por si aparecía el mejicano o Joe el indio. Anochecía y se estaba nublando, a cada momento se veía menos. Dieron las diez y las lejanas luces del pueblo comenzaron a extinguirse.

* * *

Serían las once cuando se apagaron las luces de la taberna.

Se estaba preguntando Huck si no sería mejor irse a dormir cuando oyó acercarse unas voces. Poco después, al pasar junto a él escuchó:

—¡No la mates, Joe! ¡No mates a la viuda Douglas!

—¿Y quién habló de ello? A él sí que

EN LAS SIGUIENTES NOCHES TRATARON DE LOCALIZAR LA SEGUNDA GUARIDA DEL MEJICANO Y DEL INDIO JOE, PERO NO LO LOGRARON

lo mataría... ¡Ah, si lo tuviera entre mis manos! Pero ya está muerto y antes no tuve ocasión. Cuando quieras vengarte de una mujer, no es preciso que la mates, basta con desfigurarle el rostro.

Huck echó a correr y no se detuvo hasta llegar a la casa más cercana, la del viejo galés. Golpeó la puerta y al poco se asomaron por la ventana las cabezas del anciano y de sus dos hijos, unos muchachotes robustos.

—¿Qué pasa? ¿Quién llama?

—Déjenme entrar, por favor. Pronto, sin perder un segundo.

—Pero, ¿quién es? ¿Qué pasa?

—Soy yo, Huck Finn. Escuchen, la viuda del juez Douglas está en peligro... El indio Joe quiere vengarse de ella porque su marido, hace años, le condenó por vagabundo y le metió en la cárcel.

Unos minutos después, el anciano y sus

LA FAMILIA THATCHER HABÍA REGRESADO DE LAS VACACIONES, ¡BECKY ESTABA DE NUEVO EN EL PUEBLO!

SE IBA A REALIZAR AL FIN LA EXCURSIÓN QUE BECKY HABÍA PROYECTADO. TODOS LOS CHICOS SE REUNIERON AL DÍA SIGUIENTE EN LA CALLE PRINCIPAL hijos se hallaban armados en la colina y penetraban, pistola en mano, en el sendero que conducía a la casa de los Douglas. Huck no los acompañaba ya. Se había quedado oculto tras una roca, afinando el oído. De pronto, se oyeron las detonaciones de armas de fuego y un grito.

Huck no quiso quedarse a esperar más y echó a correr colina abajo con toda la rapidez de que era capaz, más o menos como un galgo.

* * *

Cuando amaneció el nuevo día, Huck se atrevió a acercarse a escondidas a la casa del viejo galés. Llamó discretamente.

—¡Pobre Huck! Tienes aspecto de haber pasado una mala noche. Pero aquí podrás descansar. En cuanto hayas desayunado, te acostarás —dijo el anciano.

—¿Están muertos los malhechores? —preguntó el muchacho.

—Desgraciadamente, no. Estuvimos a quince pasos de ellos. El sendero estaba oscuro. Entonces sentí que iba a estornudar. ¡Qué mala suerte! Traté de contenerme, pero fue inútil. Yo iba delante con la pistola a punto, pero los pícaros se dieron a la fuga al oír el estornudo.

—¡Qué mala pata! —se lamentó Huck.

—Cuando amanezca, el *sheriff* y sus hombres darán una batida por los bosques. Mis chicos irán con ellos.

* * *

Todo el mundo llegó temprano a la iglesia, comentando con todo tipo de detalles los acontecimientos.

—¿Y Becky, estará durmiendo todo el

día? ¡Sabía yo que estaría cansadísima después de la excursión! —comentó la señora Thatcher a la señora Harper.

—¿Becky?

—¿No ha pasado la noche en su casa?

—¿En mi casa, dice? Pues no...

En aquel momento se sumó al grupo la tía Polly diciendo:

—Buenos días. Supongo que Tom ha pasado la noche en casa de alguna de ustedes, no se habrá levantado todavía, el muy gandul...

—En mi casa no ha estado —dijo la señora Harper, empezando a mostrar cierta inquietud en el semblante.

HUCK ECHÓ A CORRER Y NO PARÓ HASTA ENCONTRAR UNA CASA. AVISÓ AL DUEÑO Y A SUS ROBUSTOS HIJOS DE LO QUE JOE IBA A HACER A LA VIUDA DOUGLAS. CUANDO VIO QUE ÉSTOS, ARMADOS, SE DIRIGÍAN A PROTEGER A LA VIUDA, SE ALEJÓ DE ALLÍ.

CAPÍTULO XI

En realidad, Tom y Becky no habían vuelto de la excursión. Junto con los demás niños, habían estado explorando una enorme cueva natural. Cuando salieron y volvieron al barco, entre la confusión y el cansancio, nadie cayó en la cuenta de que faltaban Becky y Tom.

Mientras que en la iglesia los familiares descubrían lo sucedido, ellos seguían perdidos, agotados, atemorizados y hambrientos, buscando la abertura por la que habían entrado. La entrada principal, que toda la gente de los alrededores conocía, se encontraba siempre cerrada.

* * *

Huck se hallaba en la cama que le había proporcionado el anciano galés. Tenía fiebre muy alta y deliraba. Pero como el médico y todos los hombres se hallaban en la cueva, buscando a Tom y a Becky, llamaron a la viuda Douglas para que se hiciera cargo del chico.

Ella ignoraba que gracias a él se encontraba a salvo. El muchacho había rogado al anciano que nada dijera de su participación, porque temía por su vida. El galés tranquilizó a la viuda diciéndole que Huck tenía muy buen fondo, que era generoso y servicial a pesar de su mala fama.

—Estoy segura de ello. El Señor es generoso con todas sus criaturas.

* * *

Hacia el mediodía, algunos grupos de hombres regresaron al pueblo, la búsqueda de los dos chicos desaparecidos los había dejado extenuados.

Pero no se había renunciado a la búsqueda de Tom y Becky, otros hombres, los más jóvenes y fuertes, cogieron el relevo y siguieron intentándolo. Exploraban ahora las galerías más recónditas de la enorme cueva, aquellas que jamás habían sido visitadas. Ninguna grieta iba a quedar sin mirar.

Y la búsqueda continuó de este modo durante tres largos días y tres noches.

Mientras tanto, en lo más profundo de la caverna...

TAMPOCO TOM HABÍA DORMIDO ESA NOCHE EN SU CASA. TÍA POLLY LO ESTABA BUSCANDO

—Estamos perdidos, Tom —gimoteó Becky—. Jamás podremos salir de aquí. ¿Por qué tuvimos que separarnos de los otros niños?

Becky se echó al suelo y rompió a llorar a lágrima viva.

—¿Qué te pasa, Becky?

—Nada, pero... tengo hambre.

Tom extrajo algo de su bolsillo. Y preguntó a su amiga:

—¿Recuerdas esto?

A pesar de las terribles circunstancias, Becky esbozó una sonrisa de satisfacción.

—Sí, es nuestro pastel de «bodas».

En realidad, se trataba de un mísero resto de comida de la excursión.

—¡Qué lástima que no sea tan grande como un barril! Es todo cuanto nos queda para comer.

—Vamos a repartirlo.

Y así lo hicieron. Tom ofreció la mitad a Becky. Ésta tenía verdadero apetito y lo devoró enseguida.

Allí manaba agua abundante y, para terminar el banquete, bebieron un poco. ¡Qué fresquita estaba y qué buena era!

Ya hacía mucho rato que se les había gastado la última vela. Permanecieron silenciosos, rodeados de oscuridad, agotados de tanto gritar.

Retuvieron el aliento para escuchar mejor. Parecía oírse un ruido leve, todavía lejano...

—¡Son ellos, Becky! Son ellos que vienen a buscarnos, estamos a salvo...

A unos veinte metros escasos, por detrás de una roca, surgió una mano que sostenía una vela. Tom prorrumpió en un grito de alegría. Tras de la mano apareció un cuerpo que le era muy familiar: se trataba del siniestro indio Joe.

El muchacho se quedó paralizado por el miedo. Su sangre volvió a circular al ver que el bandido giraba sobre sus talones, y desaparecía de nuevo en la oscuridad. ¡Qué extraño era que Joe no les hubiese hecho ningún caso...!

GRUPOS DE HOMBRES BUSCABAN A TOM Y A BECKY, QUE LLEVABAN YA TRES DÍAS PERDIDOS EN LA INMENSA CUEVA
¡TENGO MUCHA HAMBRE, TOM!
¡TOMA ESTE TROZO DE PASTEL QUE AÚN ME QUEDA! NUESTRO PASTEL DE "BODAS"

CAPÍTULO XII

Llegó la tarde del martes y empezó a oscurecer. Todo el pueblo lloraba la pérdida de Tom Sawyer y Becky Thatcher. Hasta entonces, todos los intentos por encontrarlos habían fracasado.

En aquel momento, las campanas de la iglesia empezaron a repicar alegremente. Poco después, las calles rebosaban de gente que gritaba: «¡Salid todos! ¡Salid! ¡Ya han encontrado a los muchachos!».

Toda la población se dirigió hacia la cueva. Por el camino se encontraron con los niños, que llegaban en un coche abierto. Finalmente había sido el propio Tom quien había encontrado la salida.

* * *

Más tarde, Tom Sawyer se hallaba echado en un sofá, rodeado de un auditorio anhelante. Les contaba la extraordinaria aventura, introduciendo algunas fantasías de su propia cosecha que la hacían todavía más interesante.

Naturalmente, tres días y tres noches de hambre y penalidades habían quebrantado la salud de los chicos. Tuvieron que permanecer en cama, en absoluto reposo, durante dos días. Parecía que cada vez se encontraban más cansados.

Tom no salió de su casa hasta el jueves y aun así se encontraba agotado por el esfuerzo. Era preciso que se repusiera

EL INDIO JOE HABÍA OÍDO TAMBIÉN A LOS HOMBRES QUE SE ACERCABAN Y ESCAPABA HACIA EL INTERIOR DE LA CUEVA

de muchas fatigas morales y físicas para restablecerse.

En una visita que hizo a los Thatcher, Tom declaró en presencia del juez:

—El indio Joe está... estaba en la cueva, juez. La tarde que nos rescataron me hallaba tan excitado y tan feliz, que se me olvidó decírselo...

La noticia se extendió como reguero de pólvora por todo el pueblo. Las autoridades decidieron ir a la cueva en busca del indio. Tom caminaba junto al juez.

Llegaron ante la puerta principal de la cueva, cerrada como siempre por un portón inexpugnable. El juez extrajo las llaves de su bolsillo, el momento produjo una gran expectación.

Al penetrar la luz del día en el oscuro recinto, se les ofreció una penosa visión. Joe el indio yacía en el suelo, muerto.

Su cuchillo de caza se encontraba junto a él. Según parecía, desesperado, había tratado de forzar la poderosa cerradura del portón y, al no conseguirlo, había muerto de hambre. Dedujeron que había entrado por donde los chicos y, como Tom y Becky, se había perdido en los vericuetos de la cueva. Había encontrado un buen escondrijo, sin duda, pero en él encontró su tumba.

CAPÍTULO XIII

Huck conocía ya todos los pormenores de la aventura protagonizada por Tom y Becky. Se la habían contado el viejo galés y la viuda Douglas. Sin embargo, había algo que sólo Tom podía contarle. Por eso fue a ver a su amigo Huck, para hablar de su tesoro.

—¿Dónde crees que se encuentra, Tom? ¿Tienes alguna pista?

—Sí, Huck. Después de ver al indio

ABRIERON CON LAS LLAVES EL INEXPUGNABLE PORTÓN QUE CERRABA LA CUEVA
¡EL INDIO JOE, ESTÁ AQUÍ! ¡MUERTO!
¡HA PERECIDO DE INANICIÓN AL QUEDARSE ENCERRADO EN LA CUEVA TANTO TIEMPO!

rondando en la cueva, estoy seguro de que el dinero está allí. Seguro.

Los ojos de su amigo Huck brillaron animándose de nuevo.

* * *

Al día siguiente se dirigieron en secreto a la cueva y comenzaron la búsqueda. Esta vez utilizaron una cuerda para no perderse por los pasadizos.

—Mira bien hasta donde te alcance la vista. ¿Ves lo que hay en esa enorme roca? —preguntó Tom.

—Sí —murmuró Huck—. ¡Claro que lo veo, Tom! ¡Es una cruz!

—Pues debajo de la cruz es donde vi al indio Joe.

Huck contempló fascinado la señal, pero luego, con voz temblorosa, suplicó:

TOM FUE A VER A HUCK QUE YA ESTABA RECUPERADO
¡ESTOY SEGURO DE QUE EL TESORO SE HALLA EN LA CUEVA! ¿TE ATREVES A IR A BUSCARLO?
¡CLARO QUE SÍ! ¡VAMOS CUANDO QUIERAS!

—¡Tom, por favor, vámonos de aquí!

—¿Pero por qué?

—Porque tengo miedo.

—¿Miedo? ¿Ahora? ¿Y quieres abandonar el tesoro cuando ya lo tenemos a nuestro alcance y sin peligro?

Obsesionados por su idea y dispuestos a llegar hasta el fin, buscaron y rebuscaron por todos los rincones. Pero sus esfuerzos resultaron estériles. Ya no sabían qué hacer. Sin embargo...

—Estoy seguro de que se encuentra por aquí —dijo Tom—. Cuando vi a Joe no cargaba ningún peso, seguro que ya lo había enterrado. Tuvo que hacer alguna señal como referencia, para poder recuperarlo después.

—Pues éste es el lugar más cercano y lógico. La señal debe ser la cruz —dedujo Huck.

—Es verdad —se animó Tom.

Siguieron buscando por todas partes, pero la caja no aparecía. Ni siquiera había indicios de que estuviera por allí y eso los desalentó mucho, ya no se les ocurría ninguna idea.

—Fíjate bien, Huck, hay huellas de pisadas y algunas gotas de cera sobre la arcilla, en esa roca. En cambio, en las otras no hay nada. ¡No lo comprendo!

—¿A qué crees tú que se debe?

—Te digo que no lo sé, pero... ¡Ya lo tengo! Apuesto a que el dinero se encuentra junto a esta roca. Si la cera se derritió, fue porque Joe estuvo aquí parado mucho tiempo —concluyó Tom cada vez más excitado.

Los ojos de Huck se iluminaron cuando exclamó:

—No es una mala teoría, amigo Tom. ¡Siempre se te ocurren buenas ideas!

Tom se dispuso a cavar en la base de

la roca. Mientras tanto, su compañero le alumbraba con el cabo de vela. Ambos estaban muy nerviosos.

Aún no había ahondado diez centímetros, cuando notó que el pico tocaba madera. Al momento, Tom dio el golpe definitivo y exclamó:

—¡Mira, Huck! ¡Aquí está!

En efecto, allí se encontraba la famosa caja del tesoro, dentro de una fosa de mediano tamaño, muy bien escondida. Junto a la caja había un barrilito de pólvora vacío, un par de fusiles en sus fundas, dos o tres pares de zapatos viejos y un cinturón de cuero, todo ello empapado por la humedad.

Los dos muchachos gritaron y saltaron entusiasmados cuando comprobaron lo que contenía la caja.

—¡Al fin es nuestro! —exclamó Huck, jubilosamente, mientras hundía las manos

LEVANTARON LA ROCA Y CAVARON DEBA-
JO. PRONTO, EL PICO CHOCÓ CON ALGO
QUE PARECÍA MADERA

entre el gran montón de monedas—. ¡Somos ricos, Tom, somos ricos!

—Siempre tuve confianza en que lo conseguiríamos.

—Me parece increíble —se admiraba Huck—. ¿Y qué vamos a hacer ahora con todo ese dinero?

—Esconderlo.

—¿Dónde?

—En el cobertizo que tiene la viuda Douglas.

—¿Vamos a llevarlo ahora mismo, tan tarde?

—No. Nos reuniremos mañana para contarlo y repartirlo. Tendremos que buscar un sitio en el bosque donde pueda estar seguro.

—¿Y cómo lo transportaremos?

—Tú te quedarás aquí vigilándolo, por lo que pudiera pasar.

—¿Y tú qué harás, Tom? —Huck no

estaba muy tranquilo ante la idea de quedarse solo.

—Yo me apoderaré de la carretilla de Beny Taylor y la traeré.

—¿Tardarás mucho?

—Ni media hora, no te preocupes.

CAPÍTULO XIV

Pocos días después, la viuda Douglas organizaba una cena memorable en agradecimiento a la actuación del galés y sus hijos. Tom y Huck se contaban también entre los invitados de honor.

Los comensales se encontraban cómodamente sentados para la cena. Los muchachos y muchachas rodeaban las mesas repletas de pasteles.

Antes de comenzar, el señor Jones, el galés, se levantó de su asiento. Solicitó la atención de todos y, muy emocionado, pronunció el discurso que llevaba aprendido de memoria punto por punto.

Empezó por agradecer a la población el honor que se les dispensaba a él y a sus hijos.

—Sin embargo —añadió—, hay otra persona, cuya modestia ha impedido que se supiera toda la verdad...

Y así, el viejo galés hizo pública declaración, llena de aspavientos grandilocuentes, de la participación de Huck en la aventura. Descubrió, con el estilo más dramático y teatral, que sólo gracias al chico se había salvado la viuda Douglas. Sin embargo, la sorpresa que ocasionó con sus palabras no fue tan grande como podía esperar, puesto que ya se había corrido la voz por todo el pueblo.

La viuda Douglas se deshizo en agradecimiento hacia Huck, que permanecía confuso y avergonzado en un rincón. La buena mujer afirmó que pensaba ofrecer al muchacho un hogar y, además, se encargaría de proporcionarle educación e instrucción. Cuando tuviese ahorrado el dinero suficiente, le haría entrar en el mundo de los negocios, aunque fuera modestamente para empezar, porque se lo merecía.

Huck se sentía muy cohibido. De pronto, Tom, que esperaba aquella oportunidad, se levantó para decir:

—Huck no lo necesita.

Ahora sí que hubo expectación general.

—Huck Finn es rico —aclaró. Los asistentes contuvieron la carcajada, pero tan sólo por mantener los buenos modales. Realmente, las palabras de Tom, consideradas por todos como una broma del muchacho, no merecían otra cosa.

TODOS LOS PRESENTES SE QUEDARON PA-
RALIZADOS POR EL ASOMBRO, INCRÉDULOS

Sin embargo no se oyó ni una sola risa, se hizo un tenso silencio que Tom se encargó de romper:

—Huck tiene dinero —aseguró—. Muchísimo dinero, aunque tal vez ustedes no lo crean. No, no sonrían, por favor, es la verdad y voy a demostrárselo enseguida. Es cuestión de un minuto como máximo, no les haré esperar más.

Efectivamente, Tom demostró que Huck y él eran ricos llevando al salón, en la carretilla, el tesoro del malogrado indio Joe. Todos se quedaron estupefactos y tuvieron que reconocer que eran unos chicos formidables.

El juez Thatcher afirmaba, en público y en privado, que tenía una gran opinión de Tom, ya que un muchacho vulgar jamás hubiera conseguido sacar a su hijita de la cueva.

Cuando Becky contó confidencialmente a su padre que Tom, en la escuela, había recibido una azotaina en su lugar, el juez se emocionó visiblemente.

Tantos y tan cálidos fueron los elogios que el juez dedicó a Tom Sawyer que su hija, que le escuchaba embelesada, no pudo contenerse y salió corriendo para ir a contárselo a Tom, segura de que éste se sentiría muy satisfecho. El juez Thatcher cifraba las más altas esperanzas en Tom. Ya imaginaba al muchacho convertido en un aguerrido militar o en un esclarecido hombre de leyes.

* * *

La riqueza, que había llegado de forma tan sorprendente a Huck, y el encontrarse bajo la protección de la viuda Douglas, contribuyeron a introducir al muchacho en sociedad. Pero para él se trataba de una pesada carga. Sobre todo porque le obligaba a ir perfectamente vestido y calzado y además tenía que ajustarse a un horario fijo. Sus sufrimientos eran ya insoportables.

Tres semanas después, considerando que ya había aguantado suficiente, desapareció de la casa de la viuda.

Tom se lo encontró y escuchó todas las quejas de su amigo.

—Tom, a mí no me va todo esto. A mí lo que me gusta es ser libre.

—Pero lo normal es lo que hacías en casa de la viuda. En cambio, tu vida de ahora no es normal.

—Es lo que hice siempre, Tom. Ya sé que todo el mundo es como tú dices, pero yo no soy como los demás. Me horroriza vivir encadenado, ¡siempre pidiendo permiso! Para ir a pescar, para ir a nadar... ¡Y todo por culpa del dinero!

—¿Dices que lo hemos echado todo a perder por culpa del dinero? No, hombre, no. El ser rico no me impedirá convertirme en un ladrón, tal y como habíamos planeado.

Huck abrió los ojos desmesuradamente ante estas palabras.

—¡Cuenta conmigo, Tom!

—¡Así se habla, amigo mío! Vamos. Y no te preocupes, que ya hablaré yo con la viuda para que te suelte un poco las riendas.

—¿Me prometes que se lo dirás, Tom?

—¡Te lo prometo! —afirmó Tom, solemnemente.

—Dime, ¿cuándo empezará a actuar nuestra banda?

—Muy pronto. Es posible que esta misma noche.

—¡Me quedaré en casa de la viuda, a

condición de pertenecer a la banda de Tom Sawyer!

* * *

Y así termina el relato de las aventuras de Tom Sawyer. Podría ser más largo, desde luego, porque nuestro héroe siguió viviendo y actuando con el empuje, el entusiasmo y la audacia de siempre. Sin embargo, se trata únicamente de la historia de un muchacho, no de la de un hombre.